Y a-t-il UN VOLEUR dans l'école?

Alison Lohans

Illustrations de Janet Wilson

Texte français de Christiane Duchesne

Scholastic Canada Ltd.,
123, Newkirk Road, Richmond Hill (Ontario) Canada

Donnée de catalogage avant publication (Canada)

Lohans, Alison, 1949 -
   [Mystery of the lunchbox criminal. Français]
   Y a-t-il un voleur dans l'école?

Publié aussi en anglais sous le titre: Mystery of
the lunchbox criminal.
ISBN 0-590-73368-0

I. Wilson, Janet, 1952- . II. Title. III. Titre:
Mystery of the lunchbox criminal. Français

PS8573.053M914   1990 jC813'.54   C90-093075-6
PZ23.L64Ya 1990

Édition publiée par Scholastic Canada Ltd., 123, Newkirk Road,
Richmond Hill (Ontario) Canada L4C 3G5.

À John, de maman avec tout mon amour.

Table des matières

Chapitre 1

Surprise!

— J'ai faim, s'écrie JJ. Tellement faim que j'avalerais une maison.

— Bof! fait Martin. Commence donc par les fenêtres! Tu mastiques bien le verre, hein? Et puis tu te mets à saigner et tu. . .

— Oh! tais-toi donc! fait JJ, impatient.

Son estomac crie et on n'en est qu'à la récréation.

— Toi aussi, tu aurais faim si tu n'avais

mangé que cinq corn-flakes pour déjeuner.

C'est une longue histoire bien trop compliquée à raconter à Martin. Mais JJ sait qu'il y a trois morceaux de pizza qui attendent dans sa boîte à lunch et cela lui suffit à endurer sa faim pendant le calcul et la dictée.

— Attends de voir ce que j'ai à manger, dit-il. Terrible!

— Bof! fait Martin. Tu ne penses qu'à manger. La cloche va sonner. On n'aura jamais le temps de faire la course d'autos.

— Il reste encore du temps. . .

JJ tâte la télécommande de sa Z-28, pas très convaincu. Une course dans la cour de l'école? Non. Surtout pas contre Martin qui adore les carambolages. Sa mère l'a prévenu que si la Z-28 a un accident, c'est sa responsabilité à lui. Elle ignore qu'il a apporté sa voiture à l'école aujourd'hui. Et puis de toutes façons, la brute de Thomas Laterreur pourrait les voir et voler la Z-28, ou faire quelque chose de vraiment terrible, comme marcher dessus exprès.

— Dépêche-toi, dit Martin. Tu gaspilles toute

la récré. La prochaine fois, je ne t'attends pas. Je vais faire la course avec Jonathan.

— Bon, bon, crie JJ. Je suis prêt.

Il s'accroupit pour tracer une ligne sur le sol.

— On part d'ici et on va jusqu'à la cage aux singes, d'accord?

Il n'aime pas du tout que Martin fasse des courses avec Jonathan Lenoir. Jonathan joue parfois avec Thomas et dans ces moments-là, il devient aussi méchant que lui.

— PARTEZ! crie Martin, dont la voiture a déjà une longueur d'avance.

JJ ne répond pas. Concentré sur sa voiture, il appuie sur le bouton. Doucement dans les cailloux. Oups! Il n'a pas vu la branche. Zut! Il vient de passer dessus! Il sort du champ de course et c'est Martin qui gagne.

Du coin de l'œil, il voit Jonathan qui les observe. Oh! oh! Thomas aussi. Ce n'est surtout pas le moment d'abandonner. Il a tellement faim qu'il a beaucoup de peine à se concentrer, surtout avec Thomas qui les regarde.

La cloche sonne.

Soulagé, JJ reprend sa voiture.

— On fait la course jusqu'à la porte, dit-il.

— Bof! Pas avec toi, marmonne Martin. Tout ce que tu sais faire, c'est de penser à manger.

JJ court malgré tout. Thomas le regarde, l'air méchant.

L'estomac de JJ crie tout le reste de la matinée, tellement fort à un certain moment que toute la classe l'entend et éclate de rire.

Mademoiselle Michaud lui sourit.

— Déjà prêt pour dîner, JJ? demande-t-elle.

JJ sent le rouge lui monter aux joues.

— J'ai l'impression, oui, fait-il.

Il a tellement faim! Si seulement le déjeuner n'avait pas tant tardé, si son père n'était pas parti si longtemps, en congrès à Winnipeg. Si seulement sa petite sœur Annie n'avait pas fait tomber son bol de corn-flakes sur le plancher, alors qu'il ne restait plus un seul flocon dans la boîte. Sa mère avait reçu un appel interurbain très important et personne ne s'était rendu compte que les rôties étaient coincées dans le grille-pain, jusqu'à ce que la fumée envahisse la cuisine. Puis il avait fallu partir pour l'école, évidemment. JJ rêve à la pizza qui l'attend dans sa boîte à lunch. Sa mère en avait commandé une super géante hier de chez «Le Galion d'Italie» pour avoir plusieurs repas tout prêts à l'avance.

— JJ!

Est-ce la deuxième fois que mademoiselle Michaud l'appelle?

— Je m'excuse, je ne vous ai pas entendue.

Mademoiselle Michaud répète, patiente.

— Pour la troisième fois JJ, voudrais-tu m'épeler le mot *piano*?

— P-I-Z-Z-A, épelle-t-il bien fort, en salivant déjà à l'idée de la pizza. Quand toute la classe éclate de rire, il se rend compte de son erreur.

Michèle Pratte agite la main.

— Mademoiselle Michaud! Je le sais, mademoiselle! P-I-A-N-O.

— Vantarde! murmure JJ pour lui-même.

Il regarde l'heure à sa montre. Onze heures trente. Puis il lève les yeux vers l'horloge de la classe. Onze heures vingt-huit.

Comment pourra-t-il attendre encore dix-sept minutes avant de manger? Est-ce qu'une telle faim peut être considérée comme un cas d'urgence? Il a si faim qu'il pourrait même en mourir! S'il meurt de faim, est-ce que son corps va rester assis sur sa chaise derrière son pupitre ou tomber dans l'allée? Peut-être qu'il pourrait plutôt y avoir un exercice de feu. Comme ça, tout le monde irait manger plus tôt que d'habitude.

Pas de chance! Tous les élèves doivent de nouveau copier chaque mot de la dictée dans leur cahier. Et JJ doit rester un moment après la classe, car encore une fois il a écrit *pizza* au lieu de *piano*.

Il y a beaucoup de bruit dans la salle à manger quand JJ y entre enfin. Il cherche longtemps Martin du regard avant de le trouver. Il doit ensuite passer devant Thomas et Jonathan pour le rejoindre. Thomas étire la jambe dans l'allée.

JJ le voit, mais trop tard. Il trébuche. Sa boîte à lunch s'envole. Les attaches se défont.

La bouteille thermos roule par terre et le reste de son lunch. . .

Mais où est le reste de son lunch? Où est sa pizza?

Il n'y a pas un seul morceau de pizza sur le plancher. À la place, il y a un tas de mégots de cigarettes dégoûtants et puants.

— QUOI? hurle JJ. Où est passé mon lunch? Où est ma pizza?

Thomas se met à rire très fort. Jonathan fait de même.

JJ se tourne vers la brute.

— Où est ma pizza? Je parie que c'est toi qui l'as prise.

— Hé non!

Thomas ouvre très grand la bouche. Ça sent le beurre d'arachides. Il en a même sur les dents.

— Il n'a pas touché à ton lunch, confirme Jonathan. J'ai passé tout l'avant-midi avec lui.

JJ cligne rapidement des yeux et prend une grande respiration.

Est-ce que *Jonathan* aurait pris sa pizza? Il

n'ose pas accuser ces deux-là sans preuve.

— Ce n'est pas *juste*, dit-il dans un souffle.
J'avais tellement faim. Ce n'est pas *juste*.

Il s'éloigne bien vite en essuyant une larme
du revers de la main.

— Tiens, JJ! fait Michèle Pratte en lui offrant
une moitié de son sandwich. Prends au moins
ça.

—Mais c'est ma pizza que je veux! dit JJ.

— Qu'est-ce qui se passe ici?

Monsieur Cantin vient finalement de réagir.

— Thomas Laterreur, ajoute-t-il, est-ce toi le
responsable de tout ce désordre?

— Non, je n'ai pas. . .

— Quelqu'un a volé ma pizza, coupe JJ, et l'a
remplacée par *ça*. Il montre d'un geste les
mégots de cigarettes. Qu'est-ce que je vais
manger, maintenant? Je meurs de faim!

Martin rampe sous une table et rapporte la
bouteille thermos de JJ.

— Tu penses qu'il y a des mégots là-dedans
aussi? demande-t-il.

— Ne touche pas à mes affaires! dit-il en

prenant vivement la bouteille.

Il l'ouvre et regarde à l'intérieur : du lait jusqu'au bord, comme d'habitude. Mais il n'a pas confiance. Il hume le contenu. Ça sent bien le lait. Mais si la personne qui a remplacé la pizza par des mégots avait versé quelque chose dans son lait? Du poison par exemple? Il marche jusqu'à l'évier et y vide tout son lait.

Quand il revient à sa place, la salle à manger a retrouvé son calme.

— Nous allons découvrir le fin mot de cette affaire, déclare monsieur Cantin. Celui qui a agi avec tant de cruauté envers JJ devrait avoir honte. Comment vous sentiriez-vous si vous aviez trouvé pareille cochonnerie dans votre boîte à lunch? Il y a ici quelqu'un qui doit des excuses à JJ, et un lunch.

Le rouge monte aux joues de JJ encore une fois. Monsieur Cantin agit ainsi pour l'aider, mais pour le moment, il semble plutôt que Thomas et Jonathan vont l'attendre après l'école, parce qu'ils ont sans doute été soupçonnés. Entretemps, Geneviève lui a donné des croustilles, Lisa ses bâtonnets de céleri, Michel lui a offert du lait et quelqu'un a déposé à sa place trois biscuits à l'avoine et au chocolat. On dirait bien qu'il va pouvoir satisfaire sa faim, après tout. Et si la même chose se produit demain? Et après-demain?

— *Moi*, je vais trouver le fin mot de cette histoire, se jure JJ.

Chapitre 2

Encore
des problèmes

À la fin de la journée, JJ se sent déjà mieux. Au cours de gymnastique, il a été le dernier à se faire tuer au ballon-chasseur. Il a obtenu 97 % en sciences humaines, la meilleure note de la classe. Mais Martin commence à lui taper sur les nerfs. Martin n'arrête pas de dire que c'est peut-être sa mère qu'il faut accuser d'avoir mis des mégots de cigarettes dans sa boîte à lunch.

— Je parie que c'est ta mère qui a fait ça,

répète Martin en rentrant de l'école.

Il rit, même. Martin prend tout son temps pour rentrer chez lui en donnant des coups de pied dans un caillou. Quelquefois le caillou atterrit sur les pelouses, d'autres fois dans les plates-bandes.

JJ voudrait bien que Martin s'en aille. Mais alors, il sera tout seul pour affronter Thomas et Jonathan, s'il les rencontre.

— Je te l'ai dit cent millions de fois! lance-t-il. Ma mère a mis de la *pizza* dans ma boîte à lunch.

— L'as-tu vue faire? Hein? insiste Martin.

— Non, avoue JJ. Mais elle n'aurait jamais fait une chose comme ça. Comment veux-tu? Il n'y a personne qui fume à la maison!

— Il n'y a pas une mère qui ferait une chose pareille, c'est trop méchant, fait la voix de Michèle Pratte. Elle et sa petite sœur Zazi reviennent de l'école par le même chemin.

— On ne sait jamais, réplique Martin.

— Tu parles d'un ami! Va-t'en! dit JJ.

Martin donne un grand coup de pied sur son

caillou et traverse la rue. Le caillou roule dans une allée et Martin le suit.

JJ est d'abord soulagé. Laissant Michèle et Zazi derrière lui, il zigzague et saute sur le trottoir en faisant semblant d'éviter des rayons laser qui lui brûlent les pieds. C'est amusant. C'est comme ça qu'il a gagné la partie de ballon-chasseur.

Mais tout à coup, il pense à Thomas et à Jonathan. Sans Martin, il sera seul contre eux et il risque de rentrer à la maison le nez en sang. Sa mère serait fâchée parce qu'il se serait battu.

JJ n'a vu ni Thomas ni Jonathan depuis que la cloche a sonné. Peut-être ont-ils dû rester en retenue ou peut-être que monsieur Cantin a pensé qu'ils étaient coupables et il les a envoyés chez la directrice, madame Berger.

Comment peut-il faire pour que la même chose n'arrive pas demain? Est-ce qu'il arriverait à convaincre sa mère de venir le chercher pour dîner? Ils iraient manger des hamburgers ou quelque chose du genre. Mais elle ne pourra sans doute pas. Annie, sa petite sœur, lui prend presque tout son temps et le temps qui reste, maman le consacre à ses études.

JJ est presque rendu à la maison quand, sans qu'il puisse prévenir le coup, quelque chose de dur lui frappe le crâne.

— *Ouille!* crie JJ.

Il ferme les yeux un instant sous le coup de la douleur et porte la main à sa tête. Il y a déjà une bosse.

De tout près, lui parvient un rire. Et du coin de l'œil, il aperçoit Thomas, caché derrière une voiture. Est-ce que Jonathan est avec lui? Il ne saurait le dire. JJ prend une grande respiration et se met à courir. Il entend des pas derrière lui, puis un grand cri qui ressemble plutôt à un cri de karaté.

JJ se retourne et voit Michèle, face à Thomas. Elle se déplace très rapidement, si vite en fait que JJ ne peut même pas dire ce qu'elle vient de faire. Mais Thomas vole en l'air et va s'étaler assez durement.

— Je t'ai vu, Thomas Laterreur, crie-t-elle. Tu

es tellement méchant que ça me rend malade. La prochaine fois, réfléchis deux fois avant d'agir.

— Hein? fait Martin, sortant de nulle part.

Il reste là, à observer la scène.

— Attention! hurle JJ au moment où Thomas prend un autre caillou.

— Essaie donc! dit Michèle d'une voix menaçante. Je suis presque ceinture noire, tu sais.

— Ça ne se peut pas, tu es une fille, dit Thomas d'un ton moqueur.

— Tu veux la preuve? demande Michèle.

Thomas lui tire la langue. Mais quand Michèle s'avance vers lui, il laisse tomber le caillou.

— Hé là! Cessez de vous battre, les enfants! crie une voix.

JJ regarde dans la rue. Madame Presseau marche vers eux. Elle est grande et possède une voix aussi forte que les sirènes d'alarme de la ville. On dirait qu'elle va prendre Thomas par la peau du cou et le lancer dans une poubelle.

Quand madame Presseau parle, tout le monde écoute.

— On s'amusait, c'est tout, fait Thomas en pleurnichant.

— Ouais, quelle partie de plaisir, marmonne JJ.

— Ouste! dit madame Presseau. Je ne veux voir personne lancer de cailloux ici, merci. Je me ferai un plaisir d'informer vos parents de cet incident.

— Je partais de toutes façons, dit Thomas.

JJ regarde Michèle, encore étonné de ce qu'il a vu.

— À plus tard, JJ, dit Michèle en agitant la main.

Martin est toujours là, les yeux ronds.

Quand JJ arrive à la maison, la voiture n'est pas là et la porte est fermée à clé.

— Il fallait s'y attendre! dit JJ en s'asseyant sur une marche de l'escalier pour attendre sa mère. Il ne peut s'empêcher d'être furieux contre elle. Il tâte la bosse qu'il a sur la tête. Ouille! Quelquefois, on dirait que sa mère ne s'occupe plus de lui. Elle passe tout son temps à étudier et à s'occuper d'Annie.

Enfin la voiture jaune remonte l'allée.

— Tu es en retard, dit JJ à sa mère pendant qu'elle sort le bébé du siège d'auto. Il est quatre heures et demie passées.

—Excuse-moi, JJ, dit sa mère avec un sourire fatigué. Il a fallu que j'emmène Annie chez le médecin et nous avons attendu longtemps.

Elle lui donne un petit baiser rapide.

— Et tu m'as attendue dehors tout ce temps là, poursuit-elle. Je m'excuse.

Puis elle remarque la bosse qu'il a sur la tête.

— JJ, qu'est-ce qui s'est passé? Tu t'es battu?

—Thomas m'a lancé un caillou.

Sa mère n'a pas l'air contente. Quand elle sort Annie de la voiture, JJ voit une trace rouge autour de la bouche de sa petite sœur. Est-ce qu'en plus Annie s'est fait offrir quelque chose? Pendant que lui se faisait massacrer par Thomas?

— Tu ne dis rien? fait JJ. Je me suis fait assommer. Tu t'en moques? Et je parie que tu te moques bien de mon lunch aussi.

Il monte l'escalier à pas d'éléphant.

— JJ! fait sa mère sèchement. Laisse-moi le temps de porter Annie dans la maison. Elle a de la fièvre et il faut que je la mette au lit. On parlera de tout ça tout à l'heure, d'accord?

Annie se met à pleurer.

—Oh! zut! dit JJ en se bouchant les oreilles.

Il a envie de défoncer la porte, mais il décide de ne pas le faire. Il regarde plutôt sa montre. Il laisse passer une minute.

— Fini! Ça fait une minute, dit-il.

— JJ, crie sa mère. J'ai horreur de ces comportements. Va dans ta chambre jusqu'à ce que je t'appelle.

JJ monte l'escalier à pas lourds. Il veut être sûr de faire assez de bruit pour que sa mère l'entende. À quoi s'attend-elle après tout? Sa journée à lui a été complètement désastreuse. Et elle, tout ce qu'elle a eu le temps de faire, c'est de s'occuper du bébé et de ses livres. Au fait, il y a *une* chose qui n'a pas été un désastre total. C'était même super que Michèle envoie

Thomas voler en l'air. Il voudrait bien revoir ça un jour. Il pourrait peut-être même persuader sa mère de lui faire suivre des cours de karaté.

—JJ? dit doucement sa mère en frappant à la porte.

— Quoi?

Il est couché à plat ventre sur son lit. Sa mère entre et vient s'asseoir à côté de lui.

—Je suis désolée de ce qui s'est passé après l'école, dit-elle. Il faudrait qu'on trouve un endroit sûr pour cacher la clé. Comme ça, tu pourrais entrer.

— Est-ce que tu as acheté quelque chose à Annie? demande JJ. Sa bouche était toute rouge.

—C'est son médicament, dit sa mère avec un soupir. Pour faire baisser la température. Elle en a craché partout.

— Tu ne veux sans doute pas savoir mon histoire de boîte à lunch, murmure JJ.

— Quelle histoire de boîte à lunch? Comment était la pizza?

—IL N'Y EN AVAIT PAS DE PIZZA! hurle

JJ. MA BOÎTE À LUNCH ÉTAIT PLEINE DE MÉGOTS DE CIGARETTES ET TU T'EN MOQUES!

— *Quoi?* crie sa mère. Je t'ai donné trois morceaux de pizza, du lait, une pomme et deux morceaux de carotte. Qu'est-ce qui s'est passé?

— COMMENT VEUX-TU QUE JE LE SACHE? hurle-t-il encore. Je suis allé dans la salle à manger. Thomas m'a fait tomber. Ma boîte à lunch s'est ouverte. Tout ce qu'il y avait dedans, c'est ma bouteille thermos et des mégots de cigarettes.

La mère de JJ se frotte le front.

— C'est très bizarre. Pleine de mégots? Mais comment? Qu'est-ce que tu as mangé alors?

JJ lui raconte. Il sait que sa mère n'est pas coupable.

Tu parles! Quel tour horrible à jouer à quelqu'un, lui voler son lunch! Il doit démasquer le coupable. Jamais plus il ne se retrouvera avec une boîte à lunch remplie de mégots.

Chapitre 3

Le criminel à l'œuvre

À la récré le lendemain, plutôt que de faire une course d'autos, JJ et Martin courent à l'autre bout du terrain de jeu, derrière les tunnels de béton.

— C'était super, hein? fait JJ. Michèle Pratte qui fait voler Thomas comme un bout de carton!

— Ouais, dit Martin, les yeux brillants.

J'aimerais bien pouvoir faire la même chose!

— Moi aussi!

JJ s'assure que personne ne les écoute.

— J'ai encore de la pizza ce midi. Et un plan à toute épreuve.

— Ouais? Comment peux-tu en être sûr?

— C'est simple, répond JJ, tout à coup moins sûr de son coup. J'ai fermé ma boîte à lunch avec du ruban gommé. Si quelqu'un essaie de l'ouvrir, je le saurai bien.

— Bof!. . . Ça n'empêchera personne de voler ta pizza.

Un grand frisson froid envahit l'estomac de JJ. Martin a raison.

— Eh bien! C'est plus simple de prendre une boîte à lunch sans ruban gommé. J'y ai pensé toute la nuit. Celui qui a volé ma pizza a dû le faire pendant la récréation. Mademoiselle Michaud est toujours dans la classe avant les cours, mais pendant la récréation, elle va à la salle des profs.

— C'est peut-être elle qui l'a prise, ta pizza, souligne Martin.

— Complètement stupide, dit JJ. Et puis, elle ne fume pas. Et de plus, personne n'a le droit de fumer dans l'école, même pas les professeurs.

— Et puis après? fait Martin. Vas-tu passer toute la récréation à parler de ton lunch?

JJ s'impatiente.

— Mais ça peut arriver encore une fois! dit-il. *Ton* lunch aussi peut être volé, vois-tu? Il faut mettre la main sur le voleur!

— Quel voleur? demande Martin.

JJ tripote un élastique qu'il a dans sa poche. Si au moins Martin s'intéressait au problème!

— LE VOLEUR AUX MÉGOTS! lance-t-il. Il faut l'attraper.

— Attraper *Thomas*, plutôt, dit Martin. Et qu'est-ce qui te fait croire que je veux l'attraper, *lui*?

Martin vient de mettre le doigt sur la bonne question.

— Euh… JJ pense vite. Peut-être que Michèle pourrait nous aider.

Puis il se souvient.

— Hier, Thomas était dehors pendant toute la récréation.

Martin plisse le front.

—Ouais, tu as raison. Tu as tout à fait raison.

—J'ai trouvé. On va aller espionner dans la classe, dit JJ qui part à la course.

Il passe à côté de Michèle qui saute à la corde sur l'asphalte.

— Hé! Il y a quelqu'un dans la *classe*, crie JJ en regardant par la fenêtre.

—Où? dit Martin, le nez collé sur la vitre. Oh! *Regarde!* C'est dans *ma* boîte à lunch qu'il fouille!

Il court vers la porte.

JJ observe encore un moment. Mais la personne qui est à l'intérieur a de toute évidence entendu leurs voix. Elle remet rapidement la boîte à lunch à sa place et se glisse hors de la classe.

JJ s'accroupit, le cœur battant. «Réfléchis! se dit-il. Qui était-ce?»

Ce n'est certainement pas Thomas Laterreur. En fait, il n'est pas sûr qu'il s'agisse de

quelqu'un qu'il connaît. Et il connaît presque tous les enfants de l'école par leur nom. Tout ce qu'il a vu du criminel, c'est son dos, des cheveux châtains en broussaille, des pantalons d'exercice gris sale et un t-shirt d'un bleu pâle tout aussi sale.

JJ court rejoindre Martin, mais monsieur Cantin l'arrête à la porte.

— Pas si vite, JJ! La cloche n'a pas encore sonné. Tu connais le règlement.

— Mais. . . mais, bégaie JJ.

Où est passé Martin? Il prend une grande respiration.

—On a vu quelqu'un dans la classe, poursuit JJ. Dans les boîtes à lunch.

—OH!

Monsieur Cantin part à grandes enjambées. JJ doit courir derrière lui. Ils trouvent Martin en train d'inspecter sa boîte à lunch.

— MARTIN GAUTHIER! tonne monsieur Cantin. Qu'est-ce que tu fais dans la classe pendant la récréation?

— Non! crie JJ. Martin l'a vu lui aussi. Puis il

a couru dans la classe et. . .

— Je ne fouillais pas dans les boîtes à lunch, confirme Martin.

— Que fais-tu donc, en ce moment même? demande monsieur Cantin.

— Je vérifie mon lunch, répond Martin d'un air penaud. Il n'a rien pris.

Aucun des élèves de mademoiselle Michaud n'a de problème de boîte à lunch ce jour-là. Mais une fille de la classe de monsieur Cantin pousse un cri retentissant en ouvrant la sienne. La moitié des élèves se rue pour voir les mégots. Thomas en profite pour lancer son pot de yogourt à travers la pièce. Monsieur Cantin a bien de la peine à rétablir le calme. Thomas écope d'une retenue et monsieur Cantin regarde JJ et Martin d'un air lourd de soupçons.

JJ est complètement déconcerté.

— Il pense que *nous* avons quelque chose à voir là-dedans? fait-il.

— Toi et tes idées idiotes, marmonne Martin.

En fin de compte, la journée d'aujourd'hui

n'est pas mieux que celle d'hier. Mais tout de même, JJ a bel et bien vu quelqu'un dans la classe. Et Martin aussi. Ils doivent trouver une façon de mettre la main sur le criminel, et prouver ainsi leur innocence.

Chapitre 4

Un nouveau détective

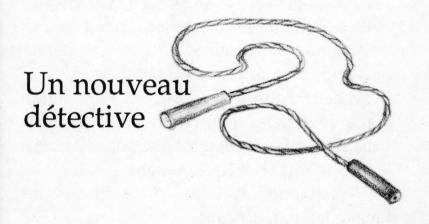

— On devrait oublier notre carrière de détectives. Si j'ai des problèmes à l'école, j'aurai toute une semaine de punition, se lamente Martin après l'école.

Les deux garçons se promènent en planche à roulettes sur la rue qui longe la rivière.

JJ est sidéré.

— Comment peux-tu penser à abandonner?

On a presque attrapé le voleur, la main dans le sac!

Avec un bon élan, il fait un saut de côté et envoie la planche à roulettes rouler dans une allée. Tcho-tchoc, tcho-tchoc, tcho-tchoc. La planche à roulettes glisse par-dessus les fentes du trottoir comme un train sur ses rails.

À deux maisons de là, Michèle Pratt saute à la corde. Sa petite sœur Zazi fait de même, mais elle se prend sans cesse les pieds dans la corde.

— Me voici! crie JJ. Attention!

— Attention *toi-même*, dit Michèle sans manquer un seul saut.

JJ se rapproche.

— Voici venir le fameux détective qui résoudra le mystère des boîtes à lunch. Laissez-le passer au nom de la loi!

Michèle ne bouge pas d'où elle est. Elle serre les mâchoires.

— Les trottoirs, c'est pour les piétons. Tu as des roues, alors roule dans la rue.

— Bof! fait Martin qui roule lui aussi sur le trottoir.

Michèle toise les garçons du regard.

— Si jamais vous blessez l'une de nous deux, vous savez ce qui vous attend!

JJ sait exactement de quoi elle parle. Il laisse traîner son pied sur le trottoir et s'arrête.

— C'est terrible ce que tu as fait à Thomas! dit-il. J'ai demandé à ma mère de m'inscrire à un cours de karaté.

Quand il en a parlé à sa mère, elle n'a pas eu l'air particulièrement impressionnée.

— Moi, je suis déjà inscrit, dit Martin, fanfaron.

JJ sait très bien que c'est complètement faux. Il change de sujet.

— Michèle, on a vu le voleur à l'œuvre, aujourd'hui.

— Et on a eu des problèmes, dit Martin en faisant la grimace.

— Vous l'avez vu? Qui c'est? demande Michèle au même moment.

— Je ne sais pas, dit JJ, perplexe. Je ne l'ai pas vraiment reconnu. Mais ce n'est pas Thomas.

— Je sais sauter à la corde, dit Zazi fièrement.

JJ pousse un soupir. Parfois, les petites sœurs sont pénibles. Michèle a l'air de penser la même chose.

— Personne ne veut sauter à la corde! Va jouer plus loin, Zazi, dit-elle.

— Nooooooooooon! braille Zazi.

— Je vais te donner trois morceaux de ma gomme Superbulle, offre Michèle de sa voix la plus gentille.

Zazi réfléchit une minute. «D'accord», dit-elle avant d'aller jouer plus loin.

— Vous l'avez vu? demande encore une fois Michèle à voix basse. Il faut établir un plan. Le prendre au piège.

JJ regarde Martin.

— Bof! Qui a dit qu'on voulait une fille avec nous? demande Martin.

Michèle est froissée. Tout à coup, JJ pense à la façon dont elle a réglé le sort de Thomas.

— On a besoin de Michèle, dit-il. Elle a un talent particulier.

JJ prend toutefois la peine de la regarder bien droit dans les yeux.

— Tu vas nous aider à tenir Thomas loin de tout ça? demande-t-il.

— Je vais y réfléchir, réplique Michèle.

Ils se regardent tous les trois, pleins de méfiance.

— On y va! dit JJ. Au repaire!

— QUOI? Tu vends la mèche? crie Martin.

— Il faut qu'on soit professionnels, répond JJ. Michèle ne nous trahira pas, dit-il en la regardant encore droit dans les yeux. Tu fais mieux.

— Croix de bois, croix de fer, si je mens je vais en enfer, promet Michèle.

JJ la croit. Il part sur sa planche à roulettes.

— Sus au criminel! crie-t-il.

Martin suit, laissant Michèle courir à leurs trousses.

— Ce n'est pas juste! halète-t-elle quand elle les rejoint à la rivière.

— Hein! Achète-toi une planche à roulettes, fait Martin.

Michèle serre les mâchoires.

— Attends, tu verras bien.

JJ escalade la digue gazonnée qu'on a construite le long de la rive pour empêcher les inondations.

— On va être de vrais détectives, dit-il. On va chercher tous les indices et...

Mais Martin n'écoute pas.

— Les filles, ça ne peut pas faire de la planche à roulettes, dit-il en dévalant la pente qui mène au bosquet de saules où ils ont leur repaire.

— Qui a dit ça? demande Michèle.

— Moi, je dis ça.

JJ plonge dans l'étroite ouverture entre les branches et le bord de la rivière. L'espace d'un instant, il est seul dans ce monde vert de feuilles et de branches. À certains endroits, il peut apercevoir les reflets de l'eau.

Puis les murs verts s'écartent dans un bruit de craquement et la tête de Martin apparaît.

— Je ne peux pas me permettre d'avoir une retenue, prévient-il.

Michèle entre ensuite dans le repaire, les yeux brillants.

— C'est super, murmure-t-elle. On peut voir

dehors et personne ne peut nous voir.

— C'est ça l'idée, dit JJ, impatient.

Le repaire est trop petit pour trois personnes. Il se demande si c'était une bonne idée d'amener Michèle.

— Il faut qu'on lui tende un piège, poursuit Michèle. Qu'on le prenne sur le fait.

— Comment? demande Martin, accroupi sous les branches.

— On va trouver un moyen, murmure Michèle, et faire en sorte que celui qui touche à une boîte à lunch sera pris automatiquement. Laissez-moi réfléchir.

JJ chasse les moustiques pendant qu'elle réfléchit.

— Des boîtes! lance-t-elle.

JJ et Martin sursautent.

— Des boîtes de conserve! répète Michèle.

— De quoi tu parles? demande JJ.

Et à mesure que Michèle leur explique son plan, il leur semble bien que tout devrait fonctionner, à condition que le voleur de lunch frappe encore une fois dans leur classe.

Chapitre 5

Le plan

Le lendemain matin, JJ est passablement nerveux. Pendant la période de lecture, toute la classe se rend à la bibliothèque. Mademoiselle Michaud tient à ce qu'ils apprennent à fouiller dans le fichier et à trouver les livres sur les rayons.

JJ croise les doigts. Jusqu'ici, tout se déroule bien. Tout le monde est très occupé et mademoiselle Michaud parle avec la bibliothécaire. JJ s'approche d'elles.

— Mademoiselle Michaud? J'ai oublié mon livre de bibliothèque dans la classe. Est-ce que je peux aller le chercher dans mon pupitre?

Mademoiselle Michaud lui rappelle de ne pas faire de bruit dans les couloirs. Elle doit ensuite s'occuper de Jonathan qui lance sa gomme à effacer sur le globe terrestre.

JJ prend une grande respiration et sort par la porte du fond. Michèle et lui ont caché leurs sacs à dos dans les buissons à cause de l'odeur. JJ se pince le nez, attrape les sacs et se faufile à l'intérieur.

Michèle sort de la toilette des filles. JJ essaie de marcher vite, mais les boîtes de conserve font un vacarme d'enfer.

— Chut! siffle Michèle.

Ils marchent vers la classe sur la pointe des pieds. JJ sort son livre de bibliothèque pour ne pas avoir l'air d'un menteur. Maintenant, c'est au tour de Martin. Il a la tâche de tenir mademoiselle Michaud occupée, si Jonathan ne le fait pas suffisamment!

— Vite, murmure Michèle. Oh! Il faut que ça marche.

JJ détache les sacs. Dans un grand bruit, les boîtes de conserve tombent et roulent sur le plancher. Des boîtes de soupe, de jus, des boîtes de sardines. Il y a des coquilles d'œuf coincées dans une boîte de ravioli. Un filet de Coca-Cola coule d'une canette que Martin a trouvée sur le chemin de l'école.

— Beurk! font-ils tous les deux.

Le succès de l'opération dépend de la façon dont les boîtes de conserve vont tenir dans l'armoire au-dessus de la tablette à boîtes à lunch. JJ déplace le pupitre de Christian vers le fond de la classe et grimpe dessus pour jeter un coup d'œil dans l'armoire.

— Est-ce qu'il y a assez de place? demande Michèle en déroulant une pelote de ficelle.

— Tout juste.

JJ saute par terre. Il ramasse les boîtes de conserve et les met dans des sacs de plastique que Michèle a apportés dans son sac à dos. Combien de temps Martin réussira-t-il à occuper mademoiselle Michaud? Qu'arrivera-t-il si Jonathan fait tellement de bêtises qu'elle décide de le ramener dans la classe?

— Vite, répète Michèle.

Elle fait une immense boucle avec la ficelle et la passe dans les poignées des boîtes à lunch.

Une drôle d'odeur envahit la classe. Est-ce que mademoiselle Michaud va s'apercevoir qu'ils ont ouvert les fenêtres? Par contre, JJ sait qu'elle va remarquer l'odeur s'il ne laisse pas entrer un peu d'air frais.

— *Quelqu'un vient!* fait Michèle.

Des bruits de pas se font entendre à l'autre bout du corridor. Est-ce mademoiselle Michaud? Ou la directrice, madame Berger?

Aussi vite qu'il le peut, JJ passe les bouts de la ficelle dans les poignées des sacs de plastique. Il grimpe sur le pupitre de Christian et pousse les sacs pleins dans l'armoire. Plus bas, Michèle attache les mêmes bouts de ficelle à la boucle qui relie les boîtes à lunch.

Les pas se rapprochent. . .

JJ referme les portes de l'armoire presque complètement. Mais quand il saute par terre, il se prend dans la ficelle. Quelques boîtes tombent sur le plancher. Le bruit résonne dans la classe silencieuse.

— Tu fais ça pourquoi, au juste? dit Michèle entre ses dents.

— Toi et tes idées de fou! dit JJ. Si tu n'aimes pas ma façon de faire, fais-le toi-même.

JJ a les mains qui tremblent quand il replace les boîtes. Il court presque remettre le pupitre de Christian à sa place.

Les pas se rapprochent encore, encore. . . et s'arrêtent.

JJ pousse un soupir de soulagement. Toujours tremblant, il prend son livre de bibliothèque.

— N'oublie pas de couper la corde avant dîner.

— On serait dans un beau pétrin! fait Michèle avec un signe de tête.

Quand Michèle et JJ se faufilent dans la bibliothèque, mademoiselle Michaud regarde le cahier de Martin qui a les joues d'un rouge étonnant. JJ met son livre dans la boîte des retours et se met au travail.

Mademoiselle Michaud plisse le nez en entrant dans la classe.

— Quelle est cette drôle d'odeur? demande-t-elle.

Le cœur de JJ bat si fort qu'il est convaincu que mademoiselle Michaud l'entend.

— Je ne sens rien, dit Michèle.

— Moi, oui, dit Jonathan en faisant semblant de vomir.

— Ça suffit, Jonathan, dit mademoiselle Michaud. Prenez votre livre de sciences.

JJ lance un sourire à Michèle et à Martin. Le piège est prêt!

Mais il y a quelque chose qu'ils n'ont pas prévu. Geneviève arrive en retard, sa boîte à lunch à la main.

Tout à coup, JJ a l'impression d'avoir une colonie de sauterelles à l'intérieur du corps. Il n'y a presque pas d'espace libre sur la tablette. Geneviève devra déplacer quelques boîtes à lunch pour déposer la sienne. JJ avale sa salive et lance un regard à Michèle. Il faut empêcher Geneviève de tomber dans le piège! Michèle s'est déjà levée pour aller au fond de la classe.

Trop tard.

CLING! CLANG! CLING!

Au milieu des cris, Michèle et Geneviève s'écartent d'un bond. Les boîtes de conserve roulent partout entre les pupitres. Une boîte de sardines s'arrête sur le pied de Jonathan. Il la lance aussitôt et monte sur son pupitre pour éviter l'odeur.

Tout le monde rit sauf JJ et Michèle. Ils sont rouges comme des tomates.

Puis mademoiselle Michaud se lève.

— Ça va, dit-elle de la voix terriblement calme qu'elle utilise lorsqu'elle est vraiment très fâchée. Qui est responsable de ceci?

Elle regarde JJ et ensuite Michèle. Sa voix fait plus peur que celle de madame Berger.

À la récréation, JJ commence à se demander s'il n'aurait pas été mieux de se faire gronder par la directrice plutôt que par mademoiselle

Michaud. Il a l'impression que madame Berger trouverait la solution, de toute façon. Quand les autres élèves se mettent en rang, Michèle et JJ doivent aller chercher chacun une pile de feuilles. Dès que l'entrée de la classe est dégagée, ils s'asseoient dans le corridor avec leurs feuilles, leurs plumes et du liquide correcteur.

— Ça va nous prendre *toute la vie!* grogne Michèle.

— Tu penses que je ne le sais pas? marmonne JJ.

L'espèce de Michèle qui le met toujours dans le pétrin! Il fallait plus qu'une vie pour écrire cent fois «Je ne suis pas un détective. Les professeurs vont trouver le coupable.» Mademoiselle Michaud a signifié très clairement qu'elle ne tolérerait ni les fautes d'orthographe ni les fautes de ponctuation. Pire encore, ils devaient remettre les cent lignes le lendemain matin.

JJ a déjà mal à la main. À ce rythme-là, il lui faudra toute *l'année* pour écrire ses cent lignes.

Michèle regarde par-dessus son épaule et lui signale certaines erreurs. JJ bougonne et cherche le liquide correcteur.

Il remarque à peine que quelqu'un marche dans le corridor. Il ne voit qu'une paire de souliers de course bleus et des jambes dans un pantalon d'exercice gris sale. Pendant un moment, une odeur de tabac flotte dans l'air.

— Qui c'est? demande Michèle en lui donnant un cou de coude.

— Arrête de me pousser, dit JJ, furieux. Regarde ce que tu m'as fait faire.

Il rend le coup de coude à Michèle.

C'est à ce moment-là que l'alarme d'incendie retentit.

D'une certaine façon, il est soulagé. Il n'aura pas à écrire pendant toute la récréation.

D'autre part, il devra le faire pendant l'heure du dîner et après la classe. Sans attendre Michèle, il ramasse ses feuilles et sa plume. Elle n'aura qu'à prendre le liquide correcteur. Il s'en moque bien.

Dehors, tout le monde est en rang à sa place

habituelle. Mais les professeurs ont l'air bien embarrassés.

— Ça sent la fumée, murmure Geneviève à JJ quand il passe à côté d'elle.

Comme d'habitude, Thomas Laterreur fait le zouave dans les rangs.

— L'école brûle, dit-il avec son rire de fou.

Puis il donne un coup de tête à Lisa Perreault.

— THOMAS LATERREUR! tonne monsieur Cantin. VIENS ICI ET RESTE À CÔTÉ DE MOI.

Thomas le regarde d'un air qui s'en moque royalement et s'avance vers la tête du rang. En marchant, il fait trébucher JJ. Ses papiers s'envolent partout. Thomas marche sur les feuilles de JJ, laissant dessus des empreintes boueuses.

— Hé! crie JJ. Tu viens de ruiner ma copie! Tu vas me le payer ou bien. . . gronde-t-il en ramassant ses feuilles.

— Ou bien quoi? demande Thomas avec un affreux sourire.

Michèle se précipite dans le rang derrière JJ.

— J'ai vu quelqu'un, murmure-t-elle. Tu sais, celui qui est passé dans le corridor tout à l'heure pendant qu'on écrivait? Il est entré dans les classes. Je l'ai vu après le début de l'alerte et. . .

— *Silence*, Michèle, dit mademoiselle Michaud en la prenant par le coude pour la mener en tête du rang.

— Tu penses que ça m'intéresse, marmonne JJ sans s'adresser à personne en particulier.

Il reste là, furieux, pendant que les professeurs font l'appel.

C'est peut-être un vrai incendie. Les exercices de feu ne durent jamais si longtemps.

— J'entends des sirènes, chuchote Jonathan.

Mais la cloche sonne et finalement, tout le monde retourne dans l'école. JJ chiffonne ses feuilles et les jette dans une poubelle en passant. «Tu penses que ça m'intéresse?» répète-t-il.

Mais à l'heure du dîner, il est de nouveau intéressé. Il a apporté une feuille blanche et il commence à écrire avant même d'avoir ouvert sa boîte à lunch.

Mais il a trop faim. Il ouvre sa boîte. . . et pousse un cri.

Le voleur a encore frappé.

— Ce n'est pas *juste!* va-t-il se plaindre à monsieur Cantin en lui montrant sa boîte à lunch. *Deux* fois! Pourquoi faut-il que ce soit toujours moi qu'il choisisse?

Mais JJ n'est pas la seule victime cette fois-ci. Dix élèves se sont fait voler leur lunch : Michèle, Geneviève, plusieurs élèves de la classe de madame Lafond et de celle de monsieur Cantin. La seule bonne chose dans tout ça, selon JJ, c'est que Thomas s'est fait voler le sien, lui aussi.

Ils vont tous au bureau de l'infirmière avec madame Berger pendant que mademoiselle Michaud va acheter des hamburgers pour tout le monde.

— On a vu le voleur, affirme Michèle d'une voix sûre. Il a les cheveux châtains; il est pas mal maigre et il porte un t-shirt bleu pâle tout sale et des pantalons d'exercice gris.

— Et des souliers de course bleus pleins de trous, ajoute JJ.

Madame Berger est passablement intriguée.

— Vous en êtes absolument sûrs? demande-t-elle.

— Il se promenait dans les classes, insiste Michèle. Après l'alerte.

— Et il sent la vieille fumée, ajoute JJ tout à coup.

— Est-ce que quelqu'un sait pourquoi l'alarme s'est déclenchée aujourd'hui? continue madame Berger.

Personne n'en sait rien. Thomas non plus, même quand madame Berger leur demande de bien réfléchir. Un étrange silence plane dans la pièce.

— Il n'y a jamais eu d'exercice de feu prévu pour aujourd'hui, dit madame Berger d'une voix basse et inquiétante. Si quelqu'un sait quelque chose, j'ai besoin de le savoir, et tout de suite.

L'idée traverse l'esprit de JJ avec la force d'un rayon laser. Il jette un coup d'œil rapide à Michèle.

— C'est le voleur! dit-il. Il a déclenché l'alarme...

— ... pour pouvoir voler plus de boîtes à lunch, enchaîne Michèle.

Madame Berger serre les lèvres. Mais avant qu'elle ait le temps de parler, mademoiselle Michaud entre, deux gros sacs dans les bras.

JJ salive en humant l'odeur. Des hamburgers! Il a tellement faim qu'il peut difficilement attendre.

— Je voudrais bien me faire voler mon lunch tous les jours, dit Thomas. C'est mieux que le beurre d'arachides.

JJ partage son opinion. Il défait rapidement le papier du hamburger tout chaud.

Mais Michèle lui donne un coup dans les côtes avant qu'il ait la chance de prendre sa première bouchée.

— Tu as compris? siffle-t-elle. Tout le monde était présent à l'exercice de feu. Ça veut dire que le voleur vient de l'extérieur pour dévaliser nos boîtes à lunch!

Chapitre 6

De pire en pire

— Si tu es si bonne que ça, trouve la solution toute seule! crie JJ dans le téléphone ce soir-là.

Il raccroche violemment. Il en a par-dessus la tête du mystère des mégots. Par-dessus la tête de Michèle. Maintenant, elle lui téléphone à la maison! Et il a encore soixante-neuf lignes à copier. «Je ne suis pas un détective. Les professeurs vont trouver le coupable.» Il en a par-dessus la tête de la copie, ça c'est sûr!

Laisser les professeurs trouver la solution. Ou Michèle. Il s'en moque comme de sa première chemise.

Sa mère travaille à un énorme projet pour un de ses cours. Annie pleure dans son parc. JJ décide de faire rouler la Z-28 à travers la maison. Comme sa voiture ne peut pas aller très vite sur la moquette, il va dans la cuisine. Super! Ça roule plus comme une vraie voiture! La Z-28 passe devant le frigo et file sous la table. Oups! Elle frappe une patte de chaise si durement que les piles sortent et roulent sur le plancher de la cuisine.

—JJ, s'il te plaît! crie sa mère. Tu ne peux pas rester tranquille pendant que j'étudie? Pourquoi ne vas-tu pas jouer dans ta chambre jusqu'à l'heure du souper?

— À quelle heure on mange? demande doucement JJ.

Après tout, il est six heures passées et rien ne mijote encore.

—Oh! non! dit sa mère. Je n'ai même pas eu le temps d'y penser.

— Je peux préparer le souper, offre JJ. Je peux faire des hot-dogs dans le micro-ondes.

— Tu ferais ça? dit sa mère qui vient d'apparaître sur le seuil, Annie dans les bras. JJ, tu es un ange.

JJ ne tient pas à être un ange, mais il veut souper. Et il se dit que, s'il prépare le souper, sa mère pourra peut-être lui copier quelques lignes. Finalement, il décide que ce n'est pas une bonne idée.

Sa mère remet Annie dans son parc et aussitôt, la petite commence à pleurer.

— Tu ne peux pas la faire arrêter? demande JJ.

— Je voudrais bien, dit sa mère.

Enfin, elle lui parle comme à un adulte. Ça fait du bien.

— Elle a peut-être faim, suggère JJ.

— Oh! Mon Dieu! crie sa mère. J'ai oublié sa collation de l'après-midi.

«Et la mienne aussi», pense JJ. Mais il ne dit rien.

— Le voleur de boîtes à lunch a pris mon

dîner encore une fois et ceux d'autres élèves aussi, alors mademoiselle Michaud nous a acheté des hamburgers.

— Est-ce que tu voudrais donner un morceau de fromage à Annie? Et des bouchées de pomme.

— Hé! J'ai dit que mon lunch. . .

Il s'arrête; sa mère n'écoute pas vraiment. Et en plus, il doit s'occuper d'Annie! Il lui coupe un morceau de fromage et une pomme qu'il dépose dans le parc. Annie crie, rit et rampe pour attraper les morceaux. Tout à coup, JJ sent l'odeur de la couche; mais maman n'a rien dit à ce propos. JJ se dit qu'il n'a donc pas besoin de s'en occuper.

Il s'éloigne et installe ses papiers sur la table. En attendant le bip du micro-ondes, il écrit quelques lignes. Et pendant le souper, il garde ses feuilles à côté de lui pour avoir le temps d'écrire un peu entre chaque bouchée.

C'est une grave erreur.

Même si Annie est bien attachée dans sa chaise haute, ça n'empêche pas le malheur de se produire. Sans qu'on sache pourquoi, Annie décide de lancer son assiette pleine de bouchées de hot-dog, de carottes et de compote de pommes. L'assiette s'écrase sur les feuilles de JJ. À l'envers!

JJ a envie de donner un coup sur la chaise haute.

— Il va falloir que je recommence encore une fois! gémit-il.

Sa mère le serre contre elle et s'occupe de ramasser les carottes et la compote qui tachent la copie. Le téléphone sonne.

— Ce stupide. . .

Elle plaque sa main contre la bouche de JJ et va répondre au téléphone. JJ pose sa tête sur la table.

— C'était mademoiselle Michaud, dit sa mère en revenant. Elle dit que tu n'as plus besoin de faire tes lignes, que les professeurs et la directrice vont travailler d'arrache-pied à résoudre le problème des boîtes à lunch.

— Oh! fait JJ, bien heureux de ne pas avoir à terminer ses cent lignes.

Mais il est déçu du même coup. Pourquoi Martin et lui, et Michèle aussi probablement, ne peuvent-ils pas résoudre le mystère eux-mêmes?

Chapitre 7

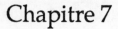

Le voleur
en gros plan

Le lendemain matin, JJ sait ce qu'ils ont à faire. Martin et lui, et Michèle bien sûr, doivent battre les professeurs à la course dans la résolution de cette enquête. Il essaie d'expliquer ceci aux deux autres au moment où ils se mettent en rang pour une réunion d'élèves, mais tout le monde continue à parler.

— Je pense que la réunion est sur la sécurité à bicyclette, dit Geneviève.

— Sur la sécurité en tricycle, nargue Jonathan.

— Tu te souviens des jongleurs, la dernière fois? dit Michel. Ils étaient extraordinaires!

— Il faut qu'on batte les profs, murmure JJ à Martin pour la troisième fois.

— Hein! dit Martin à tue-tête.

— Silence, tout le monde! dit mademoiselle Michaud d'une voix fatiguée. Nous n'irons nulle part tant que vous ne vous serez pas calmés et qu'on puisse entendre une mouche voler.

— Quelle sorte de mouche? demande Jonathan. Une mouche tsé-tsé?

Mademoiselle Michaud lui lance un regard qui le paralyse.

— Il faut qu'on batte les profs, murmure JJ encore une fois.

— Ah! Je viens de comprendre, dit Michèle. Pour voir qui. . .

—Voudrais-tu cesser d'écouter tout ce qu'on dit? Je parle à Martin, dit JJ.

—Suffit! dit mademoiselle Michaud. Si vous

n'arrêtez pas tout de suite, nous n'irons pas au gymnase aujourd'hui.

Tout à coup, la classe devient très calme. *Extrêmement* calme.

JJ aperçoit encore une fois le voleur lorsque les élèves se rendent au gymnase pour la réunion. Le voleur marche avec les élèves de madame Lafond, comme s'il faisait partie de la classe. Pourquoi ne vont-ils pas plus vite! Il faudrait dépasser la classe de madame Lafond. Il pourrait alors le regarder de plus près et voir à quoi il ressemble. Mais la classe de mademoiselle Michaud avance lentement comme d'habitude.

Que faire? Le voleur est juste là! JJ devrait sortir du rang en courant, rien que pour une minute. Il reconnaît les cheveux châtains en broussaille, le pantalon d'exercice, les souliers de course et le t-shirt bleu pâle. Personne ne le remarque, même pas Martin. Comment attraper le voleur sans l'aide des professeurs?

Toutes les classes se rendent au gymnase. Le voleur fait de même. JJ fixe son dos d'un regard intense. C'est lui qui a volé son lunch deux fois, qui a mis les mégots dégoûtants dans sa boîte à lunch. Que peut-il faire? Quelque chose qui ne lui causera pas de problèmes mais qui doit se passer rapidement, car la classe de madame Lafond est sur le point d'entrer dans le gymnase, d'autant plus qu'eux s'assoient à l'autre bout du gymnase. Est-ce que le voleur va s'asseoir avec eux comme si de rien n'était? Est-ce que les autres vont le remarquer?

Une idée lui traverse l'esprit au moment où ils passent devant le tableau d'affichage. Plusieurs papiers sont épinglés au tableau à la hauteur de son épaule. Vite, il en arrache un et le plie rapidement pour en faire un avion. Il vise le dos du voleur et l'attrape du premier coup.

Le voleur se retourne.

C'est une fille!

JJ est tellement surpris qu'il en oublie d'avancer quand les élèves se remettent en marche et tout le monde bute sur lui. Comment est-ce que le voleur peut être une *fille?* Mais il

est convaincu de ne pas s'être trompé. Cette figure fière avait l'air dur et JJ comprend pourquoi ils ont toujours pensé que c'était un garçon. Quand il regarde encore, la voleuse est partie.

La réunion est longue et ennuyeuse. Madame Berger leur parle du vol des boîtes à lunch. JJ ne cesse de tourner la tête pour essayer de découvrir si le voleur est dans la salle, jusqu'à ce que mademoiselle Michaud le tire dans l'allée pour lui faire un sermon. JJ n'écoute pas vraiment.

Est-ce que la voleuse est dans le gymnase? Qu'est-ce qu'elle pense en écoutant parler ainsi d'elle-même devant toute l'école? JJ est sûr qu'elle ne doit pas apprécier.

Aucun lunch ne disparaît ce jour-là.

C'est presque décevant. Et comme demain, c'est samedi, JJ sait qu'il doit attendre jusqu'à lundi avant de faire quelque chose.

Chapitre 8

Un bon répit

Après avoir regardé les dessins animés le lendemain matin, JJ se rend en planche à roulettes à la rivière pour rencontrer Martin. De loin, il voit Michèle passer des circulaires et sa petite sœur Zazi qui saute à la corde comme d'habitude. Il faut qu'il disparaisse dans le repaire avant que Michèle se rapproche trop de lui. Depuis qu'elle sait que le voleur est une voleuse, Michèle a encore plus envie de résoudre le mystère. JJ n'a pas envie de lui parler pour l'instant.

JJ attend que Martin apparaisse. Il est en retard comme toujours. JJ prend donc sa planche à roulettes sous le bras et se glisse entre les branches. Un moustique lui tourne autour de l'oreille et il le chasse. Les branches égratignent la peau de son bras.

Tout à coup, il entend du bruit dans le repaire.

— Martin, gronde-t-il. Pourquoi tu ne m'as pas dit que tu étais déjà là? Je t'ai attendu pendant. . .

— Qu'est-ce que tu fais là, Jérémie-face-de-rat?

Thomas! JJ recule aussi vite que possible. C'est le désastre! Si Thomas a découvert leur repaire, c'est la fin de tout!

Les branches s'écartent violemment et Thomas vient vers JJ.

— Personne n'a le droit d'envahir mon domaine! hurle-t-il.

JJ prend une grande respiration dès qu'il se retrouve en terrain découvert.

— Ce n'est pas ton domaine. On l'a trouvé avant toi.

— Maintenant, c'est à moi, dit Thomas. Il fait un croc-en-jambe à JJ et l'envoie au sol pendant que la planche à roulettes part en roulant. JJ atterrit sur le menton. Il se relève et se met à hurler des bêtises.

Mais Thomas se contente de rire et se met à courir derrière la planche à roulettes de JJ.

— Hé! C'est à moi! Laisse ça! crie JJ.

— Essaie de m'attraper, nargue Thomas avec un mauvais sourire.

Il tient la planche à roulettes serrée contre sa poitrine. JJ essaie de la prendre. Thomas le pousse et lui fait perdre l'équilibre. JJ vacille et glisse vers la rivière. Il entend derrière lui un drôle de bruit dans les herbes. Avant d'avoir compris ce qui se passe, il voit sa planche à roulettes passer à côté de lui à toute vitesse et rebondir sur les mottes de terre. JJ se jette dessus mais il est trop tard. La planche à roulettes vole en l'air, tourne sur elle-même et plonge dans la rivière.

JJ n'arrive pas à y croire. Il hurle tous les gros mots du monde à Thomas, mais comme avant, celui-ci se contente de rire.

Et tout à coup, on entend un cri familier.

C'est Michèle qui s'avance vers Thomas.

—Ne te mêle pas de ça, crie JJ. Ça va se régler entre lui et moi!

Mais Michèle l'ignore totalement et continue d'avancer.

Terrible! se dit JJ. S'il n'était pas si furieux à cause de sa planche à roulettes, cela lui ferait plaisir d'observer les manœuvres de Michèle.

Thomas essaie de la frapper, mais Michèle n'est pas exactement à l'endroit que Thomas avait prévu. Un autre cri et Thomas vole dans les airs. Il atterrit comme un tas de ferraille et Michèle s'asseoit sur lui.

—Je t'ai vu faire, espèce de brute! Et tu vas payer ça, crie-t-elle.

Par terre, Thomas se tortille. JJ éclate presque de rire. Il remonte de la rivière pour avoir une meilleure vue du spectacle.

Mais Thomas se libère. Et comme la brute se remet sur ses pieds, il attrape Michèle par le cou.

— Tu penses que tu peux m'avoir? dit-il, railleur.

Il resserre son étreinte et Michèle étouffe. JJ avale sa salive et se précipite en courant. Il doit faire quelque chose, sinon Michèle sera blessée.

Les choses ne se passent pas comme il l'avait prévu. Il se retrouve tout à coup au milieu d'un fouillis de bras et de jambes. Quelque chose le frappe au visage. Il a l'impression que son nez s'est enfoncé dans sa figure. Du sang coule sur sa chemise. Il voit la tête de Thomas juste devant la sienne et il le frappe en plein dans l'œil.

— Petits voyous!

La voix vient de loin, mais tout à coup JJ se rend compte qu'il l'entendait déjà depuis un moment. C'est madame Presseau qui vient de surgir telle une diablesse de l'espace. Il voit une main qui empoigne Thomas par le cou.

Quelque chose le saisit par derrière, lui aussi.

— Petits voyous! crie madame Presseau. Toujours à vous battre. À ce rythme-là, vous serez en prison avant même d'avoir fini l'école.

— C'est lui qui a commencé, crie JJ.

Madame Presseau a une poigne de fer. Elle ne semble pas intéressée de savoir qui a commencé. Elle les secoue tous les deux.

— Vos parents vont en entendre parler, menace-t-elle.

— Ce n'est pas la faute de JJ! crie Michèle. Thomas a lancé sa planche à roulettes dans la rivière. Je l'ai vu.

Mais madame Presseau se contente de la regarder.

JJ aurait envie de la frapper. Il est dans le pétrin encore une fois. Maman est toujours occupée à préparer son cours et, si elle le voit comme ça, il devra passer le reste de sa vie dans sa chambre. Ou du moins jusqu'à ce qu'ils aillent chercher son père à l'aéroport.

En plus du sang sur sa chemise, JJ sent sa lèvre gonfler comme un ballon. Il a l'impression qu'elle lui prend la moitié du visage. Est-ce qu'une lèvre enflée peut éclater? Il lui faudra sans doute aller à l'hôpital; il aura un gigantesque bandage et il sera la cible de tous les regards à l'école.

La mère de JJ est fâchée, mais pas comme madame Presseau s'y attendait. Elle laisse tomber ses livres sur une chaise et elle serre les lèvres. Elle envoie JJ en haut dans la salle de bain se laver la figure et changer de chemise. Quand il redescend, sa mère est assise au téléphone. Annie pleurniche dans son parc.

— Où habite-t-il, ce Thomas? demande sa mère.

— Sur la rue Bousquet, dit JJ. Pourquoi?

Il regarde sa mère, étonné. Qu'est-ce qu'elle va faire, affronter la mère de Thomas et lui régler son compte?

Mais sa mère ouvre l'annuaire et dit à JJ d'emmener Annie faire un tour dans sa poussette.

— Je suis obligé? se lamente JJ.

— Va te promener avec ta sœur, dit sa mère d'un ton sans réplique. Elle a besoin de changer de décor et d'air aussi.

JJ sait qu'il vaut mieux ne pas discuter.

Il n'est pas rendu bien loin quand il entend des pas derrière lui.

— JJ! Attends!

C'est Martin. JJ ne s'arrête pas mais Martin le rejoint.

— Ouououh! Qu'est-ce qui est arrivé à ton visage? demande-t-il.

JJ fait la grimace.

— Qu'est-ce qui est arrivé à tes cheveux? réplique-t-il.

De toute évidence, Martin arrive de chez le coiffeur. Mais JJ veut l'embêter.

— Qu'est-ce qui t'a pris tout ce temps? Je t'ai attendu des heures. Thomas était dans notre repaire et il a lancé ma planche à roulettes dans la rivière.

— Il est malade! crie Martin. Il va falloir qu'on lui remette ça.

— Je l'ai déjà fait, dit JJ. Je l'ai battu.

JJ commence à s'amuser. Il fait avancer sa grosse lèvre un petit peu plus.

Martin est impressionné.

— Hé! Les gars! leur crie Michèle.

— Oh! non! dit JJ.

— Youyou! crie Annie.

Elle lance son hochet sur la pelouse de monsieur Larue. Le tuyau d'arrosage fonctionne.

— Annie! fait JJ. Il sait que s'il laisse le hochet là, il aura des problèmes. Alors, il se dirige vers le jet d'eau et se retrouve avec une chemise dégoulinante.

— Les gars! J'ai dit de m'attendre!

Zut! Michèle vient les rejoindre, sa sœur Zazi derrière elle, traînant son éternelle corde à danser. La joue de Michèle semble la faire souffrir passablement.

— On l'a vraiment eu! dit Michèle, un peu trop fière de son coup.

— Hein, vous avez eu qui? demande Martin.

— Thomas! dit-elle encore plus fière.

— Hein? fait Martin.

— Ma mère est en train de parler à la sienne en ce moment, ajoute JJ pour changer de sujet. Il sent un petit pincement à l'estomac.

Est-ce que sa mère va réussir à forcer les Laterreur à lui acheter une nouvelle planche à roulettes? Ou à obliger Thomas à plonger dans la rivière pour retrouver l'ancienne?

— Qu'est-ce qui s'est passé? demande Martin.

— Je te l'ai dit, répond JJ, irrité. Si tu n'avais pas été en retard, tu aurais tout vu.

Mais Michèle se met à raconter toute l'histoire à Martin. Pendant ce temps, Annie continue à faire toutes sortes de sons.

— J'ai tout vu moi aussi, dit Zazi fièrement en gonflant une grosse bulle de gomme.

— Va jouer plus loin, dit Michèle.

Zazi l'ignore totalement et continue.

— Le beau petit bébé! dit Zazi en bouchant le trou de sa bulle pour éviter les fuites.

Elle se penche vers Annie.

— Bagagada! crie Annie.

Elle essaie d'attraper la bulle rose. Celle-ci

crève en plein sur la figure de Zazi et colle aux doigts d'Annie.

— Annie! dit JJ sans pouvoir s'empêcher de rire, même si ça lui fait mal partout.

— Tu vois où ça mène de toujours montrer que tu sais faire des bulles, Zazi? lui dit Michèle.

— Ça ne me fait rien, répond Zazi. Laure en fait tout le temps.

— Bon! Maintenant elle va nous parler de son amie imaginaire, grogne Michèle. Elle dit qu'elle habite dans l'école et qu'elle partage son lunch avec elle.

— Elle n'est pas imaginaire! crie Zazi. Elle est vraie! Elle n'a pas de maison et. . .

— Oui, oui. Va sauter à la corde, veux-tu? dit Michèle.

— Regardez! crie Zazi en montrant Annie du doigt.

Annie observe, hypnotisée, une coccinelle qui monte sur le dos de sa main. Puis, d'un coup, elle pousse un cri et avale la coccinelle.

— Ouach! Dégoûtant! crie Martin.

JJ ne sait pas quoi faire. Est-ce qu'on peut s'empoisonner avec une coccinelle? Et si Annie en meurt? Ce sera sa faute à lui!

— Il vaut mieux que j'aille chercher maman, dit-il.

— Ça ne lui fera pas de mal. Zazi a déjà avalé une mouche, je me souviens.

— Beuuuuurk! dit Martin. Je sens que je vais être malade.

JJ a la même impression.

— Es-tu bien sûre? demande-t-il en fixant durement Michèle.

— Bien sûr, pourquoi je te mentirais? réplique-t-elle.

— Laure dit qu'une fois elle a avalé un moustique par erreur, dit Zazi.

— Tu ne peux pas te taire? Les amis imaginaires, ça ne nous intéresse pas, dit Michèle.

Zazi boude, de la gomme sur le nez. Elle frappe du pied par terre.

— Combien de fois je vais vous le dire! Laure n'est pas imaginaire, crie-t-elle, toute rouge.

Elle habite dans l'école avec sa grande sœur et sa sœur prend les boîtes à lunch et. . .

Zazi se couvre la bouche à deux mains comme si elle venait de faire une chose horrible.

Soudain, tout est calme.

— La voleuse! laisse échapper JJ.

— Oh! disent Michèle et Martin en même temps.

Ils ont les yeux comme des soucoupes.

— Pour une fois, nous avons une piste, dit JJ très excité.

— Non! crie Zazi. Ne dites rien! Je vais avoir des problèmes. Laure va avoir des problèmes aussi. Et Marianne sera furieuse.

Annie crie tant qu'elle peut, simplement parce que tout le monde crie autour d'elle.

Zazi a l'air toute petite et terrorisée.

— Ne dites rien! supplie-t-elle. J'ai promis de ne pas. . .

— Maintenant, tu défais ta promesse, c'est tout, dit Michèle de sa voix de grande sœur. Je vais te donner tous mes paquets de Superbulle si tu nous aides.

— Non! dit Zazi. Combien de paquets? demande-t-elle après une courte hésitation.

— Trois, répond Michèle.

Zazi secoue la tête.

— Non, je ne peux pas faire ça à Laure. Sa sœur a dit que si. . .

— Je vais t'en acheter des Superbulle, offre Martin.

Annie hurle et se met à crachoter. JJ lui essuie le menton. La coccinelle n'est pas sortie. Pourquoi faut-il qu'il ait à s'occuper de sa sœur dans un moment pareil?

— Je vais t'acheter *cinq* paquets de Superbulle et un rouleau de réglisse, fait Michèle, radoucie.

Zazi secoue encore une fois la tête.

— Tu ne peux pas simplement nous aider? demande JJ. S'il te plaît! J'en ai assez de me faire voler mon lunch.

— Moi aussi, ajoute Michèle. Ce n'est pas juste pour les autres élèves non plus.

— Mais ils ont des maisons, eux, fait Zazi. Et ils ont des mères qui leur donnent de la

nourriture et des vêtements.

— Tu fais mieux de nous aider, menace Michèle. Je vais le dire à maman, et elle va le dire à madame Berger.

Zazi ne bouge plus.

— Je vais t'acheter une poupée, continue Michèle. Avec mes sous à moi.

Zazi bouge encore moins.

— Gadaboubou, dit Annie en lançant à Zazi un sourire radieux.

— Elles se sont sauvées de chez elles parce qu'elles n'ont pas de maison et rien à manger, et que leur papa boit et qu'il ne s'occupe pas d'elles, dit Zazi d'une toute petite voix.

JJ prend une grande respiration. Une ou deux boîtes à lunch dévalisées, ce n'est rien à côté du fait de ne pas avoir de maison et de ne rien avoir à manger. Ou d'avoir un père qui ne s'occupe pas de ses enfants.

— Et leur mère? demande-t-il. Pourquoi elle ne fait rien?

— Elle est morte, dit Zazi. Ça fait longtemps.

— Oh! fait Michèle d'une voix douce.

— Je sais! crie Martin. On va les aider à voler les boîtes à lunch.

JJ ne trouve pas l'idée très bonne.

— On va avoir un tas de problèmes, dit-il. Et comme les profs essaient eux aussi de trouver le criminel, elles vont se faire prendre de toute façon.

Zazi se met à pleurer.

— On va les aider, dit Michèle. On n'a pas le choix. Mais comment?

Chapitre 9

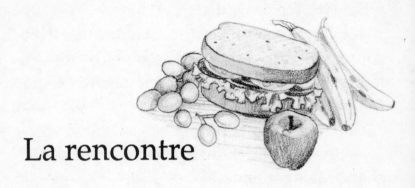

La rencontre

Quand le père de JJ rentre de sa conférence ce soir-là, ils vont tous manger au «Galion d'Italie». Pendant le souper, JJ lui demande ce qui arrive aux enfants qui n'ont pas de maison. Son père lui explique qu'il existe des travailleurs sociaux et des familles d'accueil. JJ n'est pas convaincu que Marianne apprécierait ce genre de secours.

Lundi matin, JJ n'a qu'une idée très confuse

de ce qu'ils peuvent faire pour aider Laure et sa sœur.

Revenir à l'école a ses bons côtés, tout de même. La grosse lèvre de JJ a désenflé, mais Thomas a deux yeux au beurre noir! Les autres élèves commencent à découvrir comment il les a eus. Thomas se promène la tête baissée et n'embête personne.

Au moment de se mettre en rang pour entrer dans l'école, Michèle arrive, suivie par Zazi et par une petite fille pauvrement vêtue.

— Voici Laure, dit Michèle, tout essoufflée. Elle dit qu'elle va nous aider à parler à Marianne.

— On a apporté des lunches de surplus aujourd'hui, dit fièrement Zazi. C'est Michèle qui les a faits. Maman ne s'en est même pas aperçu.

JJ regarde Laure. Elle est maigre et semble avoir peur. Il se demande si elle a eu des problèmes parce qu'elle a révélé son secret.

— On se rencontre à la récré, derrière les tunnels, dit-il.

Ils doivent se taire, car ils entrent dans l'école et les professeurs ont l'oreille fine.

Avant la récréation, il y a de la lecture et des sciences. On dirait que ça ne finira jamais. JJ se demande où peut bien être la «voleuse», Marianne. Comment font-elles pour vivre dans l'école? Est-ce qu'elles dorment sur les lits dans le bureau de l'infirmière? Comment se fait-il que personne ne les ait jamais attrapées?

— JJ, fait la voix de mademoiselle Michaud à travers ses pensées. Pour la deuxième fois, peux-tu nous dire le nom de ce liquide qui forme les volcans à l'intérieur de la Terre?

— Hein? fait JJ.

Des mains se lèvent autour de lui.

— Je sais, dit Michèle. C'est le. . .

— MAGMA, dit JJ très fort.

— Merci JJ, dit mademoiselle Michaud. J'ai cru que tu n'écoutais pas.

Quand la cloche va-t-elle sonner?

Comment vont-ils bien pouvoir faire pour décider Marianne à venir leur parler? Ils ne peuvent pas la guetter comme une proie et sauter sur elle! Surtout avec les professeurs aux alentours. Zazi semble connaître Laure passablement bien. Peut-être qu'ils peuvent faire semblant de kidnapper Laure et l'emmener dans un des tunnels jusqu'à ce que Marianne les voie et les suive.

— JJ.

Encore la voix de mademoiselle Michaud.

— Hein? dit-il.

Il a presque le même ton que Martin.

— Peux-tu venir prendre ces feuilles et les distribuer dans ta rangée?

JJ se sent les joues toutes rouges. Comment mademoiselle Michaud se rend-elle compte qu'il n'écoute pas? Elle semble bien l'attraper chaque fois qu'il a l'esprit ailleurs.

— J'ai un plan, murmure-t-il à Martin en passant près de son pupitre. De l'autre côté de l'allée, Michèle écoute elle aussi.

Au bout d'un moment qui a semblé une éternité, c'est enfin la récréation.

Laure et Zazi sautent déjà à la corde quand JJ et les autres sortent. JJ saisit la corde de Zazi et part à la course. Zazi pousse un cri perçant et se lance à sa poursuite. Il entend derrière lui d'autres cris et des bruits de pas. Il espère que la surveillante n'a rien remarqué. Accroupi derrière les tunnels de béton, il attend. Martin apparaît, une autre corde à danser à la main, suivi de près par Michèle et les deux petites filles.

— Chut! dit JJ, le doigt sur les lèvres.

Ils attendent.

Ils entendent d'autres pas qui viennent vers eux. Un visage en colère apparaît derrière le tunnel et les dévisage.

— Hé! Qu'est-ce que vous faites à ma petite sœur? demande Marianne.

Elle a l'air tellement méchante que JJ en avale sa salive. Elle a l'air encore pire que Thomas.

— Ça va, dit Laure.

— Es-tu folle? Ils veulent te battre et tu dis que ça va?

JJ prend une autre grande respiration.

— On sait tout à propos des boîtes à lunch, dit-il. On sait tout ce qui s'est passé.

Marianne saisit Laure par le poignet.

— Tu as parlé? Moi qui pensais pouvoir te faire confiance!

Elle tire sa petite sœur vers la clôture.

— Je t'ai dit que. . .

Michèle se met à parler, et vite.

— On sait tout à propos des boîtes à lunch. On veut vous aider. On vous a apporté des choses à manger.

Marianne n'a pas l'air impressionnée du tout.

— On n'a pas besoin de votre aide, dit-elle.

Mais Michèle n'abandonne pas. Elle continue à parler, demande d'où elles viennent, leur dit à quel point elles sont courageuses d'avoir fait ce qu'elles ont fait.

Marianne n'a pas envie de parler.

— On vient de Winnipeg, dit-elle enfin. On s'en va chez ma tante qui habite près de Vancouver.

— Mais comment. . . ? fait JJ, estomaqué.

— On a pris l'autobus, dit Laure, toute timide. Marianne avait ramassé des sous en déneigeant des entrées et en nettoyant le terrain des gens. Mais on pouvait se rendre jusqu'à Regina seulement.

— Et les mégots? demande Michèle. C'était vraiment dégoûtant d'en remplir les boîtes à lunch.

— Je fume, d'accord? dit Marianne d'une voix dure.

— Mais pourquoi dans les boîtes à lunch? dit Michèle en colère. Et puis, les cigarettes, ça coûte des sous. Où tu les prends?

— Tu penses que je vais te le dire? dit l'autre.

— Marianne est fâchée, prévient Laure. Ne la faites pas se fâcher encore plus. Elle déteste les enfants qui ont des mamans et des maisons et des choses à manger. Alors, elle jette ses mégots dans leurs boîtes à lunch.

JJ ne voit pas ce qu'il peut ajouter. Mais Zazi prend les devants et continue à parler.

— La cigarette, ça donne le cancer.

— Et puis après? dit Marianne.

— Regardez, on vous a apporté des choses à manger, dit Michèle d'une voix calme. Vous en voulez?

Le menton de Marianne se met à trembler et tout à coup ses yeux si durs se remplissent de larmes. Elle détourne le regard. D'un bond, Laure va la prendre dans ses bras.

La cloche sonne.

JJ n'a pas envie de rentrer dans l'école, mais il voit bien madame Berger qui est là avec la surveillante. Ils n'ont pas une minute à perdre.

— Il faut vraiment que tu parles à quelqu'un, dit-il. Tout le monde va vous aider.

Marianne serre les dents.

— On n'a besoin de personne, dit-elle.

Mais Laure a le visage tout bouleversé et elle éclate en sanglots.

— Oh! zut! Maintenant on va être en retard, dit Martin.

JJ sait ce qu'il faut faire.

— Il faut parler, dit-il, pour que les gens vous aident à retrouver votre tante.

Marianne lui donne un coup dans l'estomac, tellement fort qu'il tombe à la renverse. Mais madame Berger les a vus et se dirige vers eux. Marianne attrape Laure par la main.

— Cours, crie-t-elle. Ils vont appeler les flics!

Mais Laure ne veut pas courir. Elle reste figée sur place à regarder Zazi, JJ, Michèle et Martin.

JJ regarde de tous ses yeux la directrice devant les deux filles. Pendant ce temps, madame Dupras rassemble le reste des élèves. JJ se retourne et marche à reculons, pour observer la scène.

— Super, fait Michèle. Tout à fait super! Peux-tu imaginer? Économiser l'argent pour les billets d'autobus et vivre dans une école?

— Je pourrais le faire, réplique Martin. Tout le monde peut le faire.

Mais JJ réfléchit. Il se demande encore ce que serait la vie sans maison, sans rien à manger, sans parents pour prendre soin de lui.

Son talon heurte une marche. Il est temps d'entrer dans l'école.

Martin se tourne vers lui.

— Hé! Je pense qu'on a réussi à dénouer l'intrigue, hein?

— Ouais, approuve JJ.

Les choses se sont passées plutôt

différemment de ce qu'il avait prévu. . . deux petites filles sans maison, sans famille.

— J'ai réussi moi aussi.

JJ a complètement oublié Zazi. Mais elle est toujours là, avec sa corde à danser comme d'habitude.

— Bof! fait Martin.

— Oui, elle a réussi, avoue JJ, avant même que Michèle ait le temps de se fâcher contre lui.

— Vite! dit madame Dupras d'une voix impatiente. Vous êtes tous en retard. Et je ne peux même pas vous envoyer chez la directrice. En tout cas, pas en ce moment!

Chapitre 10

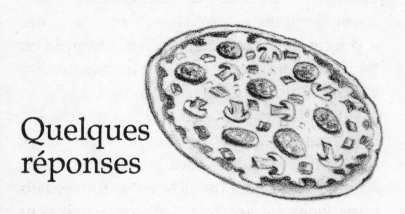

Quelques réponses

JJ ne peut trouver quoi faire le lendemain à la récréation. Après avoir passé tout ce temps à résoudre le mystère des boîtes à lunch, jouer lui semble moche comme tout. De plus, il voudrait bien savoir ce qui va arriver à Laure et à Marianne.

— Regarde Thomas, dit Michèle en riant. Il a toujours ses beaux yeux au beurre noir.

— Je sais, dit JJ.

Il a presque de la peine pour la brute de Thomas. Ça ne doit pas être très drôle de se promener dans l'école avec toutes ces paires d'yeux rivés sur soi. Il a l'impression que la vie de Thomas va changer à partir de maintenant. Celle de Laure et de Marianne aussi, c'est sûr.

— Je voudrais bien savoir ce qui va arriver à la voleuse, dit-il.

— Marianne, idiot! corrige Michèle. Ouais, moi aussi. J'espère qu'elles vont trouver leur tante. Ce serait horrible si elles n'y arrivaient pas!

— Ça va nous manquer, cette vie passionnante, dit tristement Martin.

— À moins qu'on trouve une nouvelle intrigue à résoudre! dit Michèle, les yeux brillants.

— Ah non! fait JJ, comme s'ils allaient être pris avec elle pour longtemps.

Peut-être que, s'ils évitent les intrigues, elle finira par s'ennuyer et retournera jouer avec sa bande de filles? Mais d'un autre côté, tout cela a été plutôt amusant.

— Est-ce qu'on est encore dans le pétrin? demande soudain Martin.

JJ lève les yeux. Madame Berger marche dans leur direction.

— Cette fois-ci, on n'a rien fait. On ne peut pas être dans le pétrin!

Mais le cœur de JJ bat très vite malgré tout.

— Je crois que tous les trois, vous serez heureux d'entendre ce que j'ai à vous dire, dit la directrice. L'Aide aux enfants a retrouvé la tante des filles et elle est déjà dans l'avion pour venir les chercher. Elle était folle d'inquiétude. Elle veut garder les deux petites avec elle. Marianne dit qu'elle s'excuse d'avoir volé les boîtes à lunch et de les avoir remplies de mégots. Elle dit également qu'elle va essayer d'arrêter de fumer.

— Bravo, dit Michèle.

Elle se sent tout à coup très excitée.

JJ sent monter en lui une douce chaleur et un grand calme.

— Je suis content de savoir qu'elles vont être bien, dit-il.

Ce n'est pas juste que des enfants vivent une telle vie. JJ pense à sa famille à lui, à son père et à sa mère qui l'aiment tant, et à sa petite sœur qui n'est pas trop mal, après tout. Il a de la chance.

Madame Berger s'éloigne et la cloche sonne.

— On les a vraiment aidées! répète Michèle pendant qu'ils se mettent en rang.

— Je sais, dit Martin. On a entendu quand tu l'as dit, tout à l'heure.

JJ essaie de s'éloigner de Michèle, mais il heurte quelqu'un.

C'est Thomas.

L'impression désagréable qui le parcourt d'habitude dans ces circonstances a disparu! De plus, Thomas recule sans dire un mot. Jonathan est là. Il regarde JJ et Michèle d'un drôle d'air, comme s'ils étaient dangereux! En plus de tout cela, il y a une nouvelle planche à roulettes à la maison. Toute brillante, orange et jaune!

JJ a passé son dimanche après-midi à se promener dessus autour de chez lui.

Soudain, JJ éclate de rire et donne un coup dans les côtes de Michèle.

— Ouille! crie-t-elle. Arrête!

— J'ai une nouvelle planche à roulettes! fait-il.

— On le sait, dit Martin.

— Moi aussi, j'en ai une, dit Michèle. Je vais vous rattraper, les gars, le temps de le dire!

— Non, ma vieille! dit Martin. Les filles ne peuvent pas faire de planche à roulettes!

— Tu veux parier? dit-elle avec des yeux dangereux.

— Hein. . . dit Martin.

JJ secoue la tête et entre dans l'école. Sans l'aide de Michèle, ils n'auraient sans doute jamais résolu le mystère, et Thomas n'aurait jamais eu non plus ses yeux au beurre noir.

Juste à ce moment-là, son estomac se met à crier. Le temps sera long jusqu'au dîner. Mais au moins, à partir de maintenant, il est sûr de trouver son lunch dans sa boîte à lunch.

Ils entrent dans la classe. JJ va vérifier sur la tablette, juste pour être sûr.

Sa boîte à lunch n'est pas là!

— Hé! crie-t-il. Quelqu'un a volé ma. . .

Et puis il se souvient. Sa boîte à lunch était sur la télé. Il était tellement pressé de partir pour l'école ce matin qu'il l'a oubliée.

— Oh! non! grogne JJ. Et c'était de la pizza!